DISCARDED

P9-CQZ-581

La Grande Tricoteuse

Texte : Agnès Grimaud
Illustrations : Marion Arbona

Les heures
bleues

Catalogage avant publication de Bibliothèque et Archives nationales du Québec et Bibliothèque et Archives Canada

Grimaud, Agnès, 1969-

    La grande tricoteuse

    (Les p'tites heures)
    Pour enfants de 3 à 8 ans.

    ISBN 978-2-922265-65-1

    I. Arbona, Marion. II. Titre. III. Collection: P'tites heures.

PS8613.R64G72 2009   jC843'.6   C2009-941247-0
PS9613.R64G72 2009

Distribution pour le Canada :   LES HEURES BLEUES
Diffusion Dimedia   C.P. 219, Succ. De Lorimier
539, boul. Lebeau   Montréal
Saint-Laurent (Québec) H4N 1S2   H2H 2N6

Dépôt légal - Bibliothèque et Archives nationales du Québec, 2009

Tous droits de traduction, de reproduction et d'adaptation réservés
© 2009 Les Heures bleues, Agnès Grimaud et Marion Arbona
    www.agnesgrimaud.com
    www.marionarbona.com
    www.heuresbleues.com

Imprimé au Canada

Les Heures bleues reçoivent pour leur programme de publication l'aide du Conseil des Arts du Canada et de la Société de développement des entreprises culturelles du Québec (SODEC). Les Heures bleues bénéficient du Programme de crédit d'impôt pour l'édition de livres du Gouvernement du Québec, géré par la SODEC.

À ceux que j'ai perdus et qui m'ont tant légué.
AG

Sur les vieilles photographies, celles en noir et blanc,
papi et mamie regardent l'objectif en s'enlaçant.

Dans mon album à moi, papi et mamie sont en couleur.
Ils rayonnent de bonheur.

Malheureusement, sur les photos récentes,
qui ne sont pas encore classées, mamie est seule.
Et elle ne sourit plus…

Cet hiver, mon papi adoré a été gravement malade.
Un jour, il n'y a plus eu aucune paillette de vie dans son corps.
Nous avons tous alors beaucoup pleuré.

La dernière pensée de papi a été pour mamie :

– Tricote toutes les laines de la maison et laisse filer ta peine,
lui a-t-il chuchoté au creux de l'oreille.

Depuis, mamie tricote matin, midi et soir.
Clic ! Clic ! Clic !
Au salon ou sous l'édredon.
Clic ! Clic ! Clic !
Pour de bon.
Elle tricote une écharpe torsadée de larmes.

Bien vite à court de laine,
mamie détricote ses pulls et ceux de papi.
Clic ! Clic ! Clic !
Elle effiloche ceci, cela.
Ses aiguilles s'agitent dans un cliquetis frénétique.

Maman s'inquiète.
Peut-être que mamie sombre peu à peu dans la folie.
Peut-être que son esprit s'effiloche lui aussi...

Quand maman menace de lui confisquer ses aiguilles,
mamie s'emporte :

– Dans ce cas, je tricoterai avec mes doigts !

Tricoter occupe les mains et libère l'esprit.
Chaque après-midi, je rends visite à mamie après l'école.
Je me blottis contre elle, au chaud, sous le châle
qu'elle a crocheté pour son mariage.

Et j'écoute ses confidences...

Mamie me raconte sa vie avec papi.
Quel formidable voyage !
Je lui demande s'il leur arrivait de se disputer,
comme mes parents le font parfois.
Elle me rassure :

– Bien sûr, mon poussin. Mais si chacun a assez de patience
et d'affection dans sa valise, le voyage à deux se poursuit.
Même lorsqu'on reçoit un nouveau bagage…

– Comme quoi ?

– Dans notre cas, c'était un colis précieux qui pesait
trois kilos d'amour. Je parle de ta maman, Félix.

Aimer et être aimé,
cela fait briller une multitude d'étoiles sur la voûte du cœur.
Cela illumine de l'intérieur.

Plus mamie se confie, moins elle pleure
sur son écharpe multicolore.

Le tricot s'allonge jour après jour.

Jusqu'à sortir du logement de mamie.
Jusqu'à former un tapis sur les escaliers glissants
de madame Lamarche. Et un paillasson assez grand
pour que la famille Dupas y essuie ses quatorze pieds
et huit pattes.

L'écharpe traverse la rue,
s'étire le long de la rivière,
emmitoufle les vagabonds assoupis,
se transforme en pont.

Au parc, elle s'enroule autour des arbres.

Plus loin, elle se déroule au gré de sa fantaisie...

Clic ! Clic ! Clic !

Les aiguilles s'entrechoquent jour et nuit.
Maman finit par apprivoiser ce cliquetis permanent
entre elle et mamie.

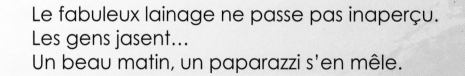

Le fabuleux lainage ne passe pas inaperçu.
Les gens jasent...
Un beau matin, un paparazzi s'en mêle.

Plus moyen de tricoter en paix.
En voilà assez ! Maman attrape une aiguille :

– Laissez-nous tranquilles ! lui ordonne-t-elle.

– Shlak ! Chtouk ! réplique le flash aveuglant
de l'appareil photo.

Le lendemain matin, maman fait la une du journal !

– Souhaites-tu un garde du corps pour te conduire
à l'école ? me demande-t-elle en riant.

J'en profite pour lui dire que sa réaction d'hier m'a
épaté.

– J'ai compris que chacun traverse les événements
importants de sa vie en tricotant ses propres solutions,
me répond-elle émue. Mamie a vécu le deuil de papi
en tissant une magnifique écharpe avec des pelotes
de chagrin, d'amour et de souvenirs.

Maman me serre sur son cœur :

– Peu importe les pelotes que tu choisiras
pour tricoter ta vie, Félix, je serai toujours là pour toi !

En route pour l'école,
nous nous arrêtons chez mamie.
Elle s'est endormie sur le divan.
Il ne reste rien à détricoter
dans l'appartement,
sauf le châle.

Maman le ramasse
et l'étend tendrement sur mamie :

– Mamie l'a crocheté pour son mariage,
me raconte-t-elle. Elle l'a aussi porté
quand j'étais dans son ventre.
Plus tard, il m'a servi de couverture.
J'adorais cette doudou de dentelle...

La fin de l'après-midi me réserve
toute une surprise. Mamie m'attend dehors.
Elle a mis ses aiguilles dans son chignon.
Leurs bouts rouges ressemblent
à des boutons de rose.

Je suis heureux et je m'exclame :

– Fiou ! Tu n'as pas transformé ton châle de mariée
en pelotes.
Mamie me sourit. Elle se penche vers moi,
me chuchote à l'oreille :

–Jamais je ne déferai ce qui me relie le plus à papi
et à ta maman ! Même mort, papi continue
à faire briller une multitude d'étoiles
sur la voûte de mon cœur.

Mamie s'émerveille en découvrant le pont
pour les piétons :

– C'est extraordinaire ! Une fois, papi m'a portée
pour traverser une rivière. À partir de ce jour,
ses bras sont devenus ma passerelle...

Un peu plus loin, Mamie aperçoit les clochards,
à l'abri sous l'écharpe. Elle est bouleversée par le souvenir
que cette scène évoque :

– Certains soirs, je ne trouvais pas le sommeil.
Je m'agitais dans le lit en faisant grincer les ressorts.
Alors, papi m'enlaçait pour me réconforter.

Au parc, des gens se bercent
sous le dôme feuillu des arbres.

Mamie sourit.
Les boutons de rose fleurissent dans sa chevelure argentée.
J'aimerais que cette promenade dure une éternité,
mais il faut rentrer...

Rien ne retient le tricot désormais.
Aucune aiguille à tricoter.
Aucune tricoteuse à consoler. Cette nuit,
l'immense écharpe filera en douce.
Elle se démaillera dans l'obscurité,
puis rejoindra les étoiles.

À l'aube, il restera quelques brins de laine accrochés çà et là.
Ce sera suffisant pour réchauffer le cœur des vagabonds.
Pour que les passants déambulent gaiement
en suivant des fils imaginaires.

Et, surtout, pour que les liens entre un petit garçon,
sa mamie et sa maman soient tricotés serrés
à la vie à la mort.